圖書在版編目（CIP）數據

陶庵夢憶 / (明) 張岱著. -- 揚州 : 廣陵書社,
2009.11（2018.9 重印）
ISBN 978-7-80694-426-4

I. ①陶… II. ①張… III. ①筆記－中國－明代
IV. ①K248.066

中國版本圖書館CIP數據核字(2009)第200374號

陶庵夢憶

著者　(明)張岱
責任編輯　胡珍
出版人　曾學文
出版發行　廣陵書社
社址　揚州市維揚路三四九號
郵編　二二五〇〇九
電話　(〇五一四)八五二二八〇八八　八五二二八〇八九
印刷　揚州廣陵古籍刻印社
版次　二〇〇九年十一月第一版
印次　二〇一八年九月第三次印刷
標準書號　ISBN 978-7-80694-426-4
定價　壹佰貳拾圓整（全貳冊）

http://www.yzglpub.com　E-mail:yzglss@163.com

陶庵夢憶

(明)張岱 著

中國·揚州
廣陵書社

文華叢書序

時代變遷，經典之風采不衰；文化演進，傳統之魅力更著。古人有登高懷遠之概，今人有探幽訪勝之思。在印刷裝幀技術日新月异的今天，國粹綫裝書的踪迹愈來愈難尋覓，給傾慕傳統的讀書人帶來了不少惆悵和遺憾。我們編印《文華叢書》，實是爲喜好傳統文化的士子提供精神的享受和慰藉。

叢書立意是將傳統文化之精華萃于一編。以内容言，所選均爲經典名著，自諸子百家、詩詞散文以至蒙學讀物、明清小品，咸予收羅，經數年之積纍，已蔚然可觀。以形式言，則采用激光照排，文字大方，版式疏朗，宣紙精印，綫裝裝幀，讀來令人賞心悦目。同時，爲方便更多的讀者購買，復盡量降低成本、降低定價，好讓綫裝珍品更多地進入尋常百姓人家。

可以想像，讀者于忙碌勞頓之餘，安坐窗前，手捧一册古樸精巧的綫裝書，細細把玩，静静研讀，如沐春風，如品醇釀……此情此景，令人神往。

讀者對于綫裝書的珍愛使我們感受到傳統文化的魅力。近年來，叢書中的許多品種均一再重印。爲方便讀者閱讀收藏，特進行改版，將開本略作調整，擴大成書尺寸，以使版面更加疏朗美觀。相信《文華叢書》會贏得越來越多讀者的喜愛。有《文華叢書》相伴，可享受高品位的生活。

廣陵書社編輯部

出版説明

《陶庵夢憶》八卷，明張岱著。該書成于明亡（一六四四）之後，乾隆四十年（一七九四）首次出版問世。其中所記大多是作者親身經歷過的雜事，將種種世相展現在人們面前，構成了明代社會生活的一幅風俗畫卷。

張岱（一五九七——一六七九），字宗子，又字石公，號陶庵、蝶庵，山陰（今浙江紹興市）人，出身仕宦世家，前半生過着悠游浪漫的生活。他在《自爲墓志銘》中説：『少爲紈絝子弟，極愛繁華，好精舍，好美婢，好孌童，好鮮衣，好美食，好駿馬，好華燈，好烟火，好梨園，好鼓吹，好古董，好花鳥，兼以茶淫橘虐，書蠹詩魔。』然而清兵南下後，張岱深感國破家亡的沉痛和悲憤，『披髮入山』，由一個風流自在的富家子弟變成了下層貧民，生活十分困窘，『所存者，破床碎几，折鼎病琴，與殘書數帙，缺硯一方而已。布衣蔬食，常至斷炊』。即使這樣，他仍然保持着自己的人格和尊嚴，以遺民自居，體現了國家興亡、匹夫有責的可貴品質。

富貴和歡樂已成過眼雲烟，撫今追昔，張岱感慨道：『繁華靡麗，過眼皆空。五十年來，總成一夢。』于是他以追憶的方式，記叙早年的見聞，寫成了記録明代軍國史事的《石匱書》和回憶個人生活經歷的《陶庵夢憶》、《西湖夢尋》等著作，努力爲後人留下可信的歷史。

《陶庵夢憶》主要記叙了晚明時期作者親身經歷的雜事，對當時的酒肆茶樓、説書演戲、鬥鷄養鳥、放燈迎神、打獵閲武以及山水風景、工藝書畫等等都有所反映，其中如寫金山競渡、揚州清明、西湖香市、彭天錫串戲等，都細緻而形象地展現了江南民俗，構成了一幅極具風情的畫卷，可視爲研究明代物質文化和社會生活的重要文獻。史料價值之外，《陶庵夢憶》無論寫景繪物、叙事抒情，都短小流麗、優美雅致，描寫生動而簡練，體現了晚明小品文清新雋永的特點，具有很高的文學性。

本書正文文字主要依據《粵雅堂叢書》本，同時參校其他版本，遇有不同，斟酌選定，標點整理。正文之外主要前面采用了《粵雅堂叢書》本《序》，後附張岱《自序》、《自爲墓志銘》，伍耀崇《跋》，以供讀者參考。如有不足，祈請指正。

廣陵書社編輯部

二〇〇九年九月

目錄

卷四

卷五

卷六

卷七

卷八

附録

序

陶庵老人著作等身，其自信者尤在《石匱》一書。茲編載方言巷咏、嘻笑瑣屑之事，然略經點染，便成至文，讀者如歷山川，如睹風俗，如瞻宮闕宗廟之麗，殆與《采薇》、《麥秀》同其感慨而出之以詼諧者歟？老人少工帖括，不欲以諸生名。大江以南，凡黄冠、劍客、緇衣、伶工，畢聚其廬。且遭時太平，海内晏安，老人家龍阜，有園亭池沼之勝，木奴、秫粳，歲入緡以千計，以故鬥鷄、臂鷹、六博、蹴踘、彈琴、劈阮諸技，老人亦靡不爲。今已矣，三十年來，杜門謝客，客亦漸辭老人去。間策杖入市，人有不識其姓氏者，老人輒自喜，遂更名曰蝶庵，又曰石公。其所著《石匱書》，埋之琅嬛山中。所見《夢憶》一卷，爲序而藏之。

卷一

鍾山

鍾山上有雲氣，浮浮冉冉，紅紫間之，人言王氣，龍蜕藏焉。高皇帝與劉誠意、徐中山、湯東甌定寢穴，各志其處，藏袖中。三人合，穴遂定。門左有孫權墓，請徙。太祖曰：『孫權亦是好漢子，留他守門。』及開藏，下爲梁誌公和尚塔。真身不壞，指爪繞身數匝，軍士輦之不起。太祖親禮之，許以金棺銀槨，莊田三百六十奉香火，舁靈谷寺塔之。今寺僧數千人，日食一莊田焉。陵寢定，閉外羨，人不及知。所見者，門三、饗殿一、寢殿一，後山蒼莽而已。壬午七月，朱兆宣簿太常，中元祭期，岱觀之。饗殿深穆，暖閣去殿三尺，黃龍幔幔之。列二交椅，褥以黃錦孔雀翎，織正面龍，甚華重。席地以氈，走其上必去舄輕趾。稍咳，内侍輒叱曰：『莫驚駕！』近閣下一座，稍前爲碽妃，是成祖生母。成祖生，孝慈皇后妊爲己子，事甚秘。再下東西列四十六席，或坐或否。祭品極簡陋，硃紅木簋、木壺、木酒罇甚粗樸。簋中肉止三片，粉一鋏，黍數粒，東瓜湯一甌而已。暖閣上一几，陳銅爐一，小箭瓶二，杯棬二。下一大几，陳太牢一，少牢一而已。他祭或不同，岱所見如是。先祭一日，太常官屬開犧牲所中門，導以鼓樂旗幟，牛羊自出，龍袱蓋之。至宰割所，以四索縛牛蹄。太常官屬至，牛正面立，太常官屬朝牲揖，揖未起，而牛頭已入燖所。燖已，舁至饗殿。次日五鼓，魏國至主祀，太常官屬不隨班，侍立饗殿上，祀畢，牛羊已臭腐不堪聞矣。平常日進二餚，亦魏國陪祀，日必至云。

戊寅，岱寓鷲峰寺。有言孝陵上黑氣一股，衝入牛斗，百有餘日矣。岱夜起視，見之。自是流賊猖獗，處處告警。壬午，朱成國與王應華奉敕修陵，木枯三百年者盡出爲薪，發根，隧其下數丈，識者爲傷地脉，泄王氣，今果有甲申之變，則寸斬應華亦不足贖也。孝陵玉石二百八十二年，今歲清明，乃遂不得一盂麥飯，思之猿咽。

報恩塔

中國之大古董，永樂之大窑器，則報恩塔是也。報恩塔成于永樂初年，非成祖開國之精神、開國之物力、開國之功令，其膽智才略足以吞吐此塔者，不能成焉。塔上下金剛佛像千百億金身。一金身，琉璃磚十數塊湊砌成之，其衣摺不爽分，其面目不爽毫，其鬚眉不爽忽，鬥笋合縫，信屬鬼工。聞燒成時，具三塔相，成其一，埋其二，編號識之。今塔上損磚一塊，以字號報工部，發一磚補之，如生成焉。夜必燈，歲費油若干斛，天日高霽，霏霏靄靄，搖搖曳曳，有光怪出其上，如香烟繚繞，半日方散。永樂時，海外夷蠻重譯至者百有餘國，見報恩塔必頂禮讚嘆而去，謂四大部洲所無也。

天台牡丹

天台多牡丹，大如拱把，其常也。某村中有鵝黄牡丹，一株三幹，其大如小斗，植五聖祠前。枝葉離披，錯出檐甃之上，三間滿焉。花時數十朵，鵝子黃鸝、松花蒸栗，萼樓穰吐，淋漓簇沓。土人于其外搭棚演戲四五臺，婆娑樂神。有侵花至漂髮者，立致奇祟。土人戒勿犯，故花得蔽芾而壽。

金乳生草花

金乳生喜蒔草花。住宅前有空地，小河界之。乳生瀕河構小軒三間，縱其趾于北，不方而長，設竹籬經其左。北臨街，築土墻，墻内砌花欄護其趾。再前，又砌石花欄，長丈餘而稍狹。欄前以螺山石纍山披數摺，有畫意。草木百餘本，錯雜蒔之，濃淡疏密，俱有情致。春以罌粟、虞美人爲主，而山蘭、素馨、決明佐之。春老以芍藥爲主，而西番蓮、土萱、紫蘭、山礬佐之。夏以洛陽花、建蘭爲主，而蜀葵、烏斯菊、望江南、茉莉、

杜若、珍珠蘭佐之。秋以菊爲主，而剪秋紗、秋葵、僧鞋菊、萬壽芙蓉、老少年、秋海棠、雁來紅、矮雞冠佐之。冬以水仙爲主，而長春佐之。其木本如紫白丁香、綠萼玉楪蠟梅、西府滇茶、日丹白梨花，種之墻頭屋角，以遮烈日。乳生弱質多病，早起，不盥不櫛，蒲伏階下，捕菊虎，芟地蠶，花根葉底，雖千百本，一日必一周之。瘂頭者火蟻，瘠枝者黑蚰，傷根者蚯蚓、蜒蝣，賊葉者象幹、毛蝟。火蟻，以鯗骨、鼈甲置旁引出弃之；黑蚰，以麻裹筯頭捋出之；蜒蝣，以夜静持燈滅殺之；蚯蚓，以石灰水灌河水解之；毛蝟，以馬糞水殺之；象幹蟲，磨鐵線穴搜之。事必親歷，雖冰龜其手，日焦其額，不顧也。青帝喜其勤，近産芝三本，以祥瑞之。

日月湖

寧波府城內，近南門，有日月湖。日湖圓，略小，故日之；月湖長，方廣，故月之。二湖連絡如環，中亘一堤，小橋紐之。日湖有賀少監祠。季真朝服拖紳，絕無黃冠氣象。祠中勒唐玄宗《餞行》詩以榮之。季真乞鑒湖歸老，年八十餘矣。其《回鄉》詩曰：『幼小離家老大回，鄉音無改鬢毛衰。兒孫相見不相識，笑問客從何處來。』八十歸老，不爲早矣，乃時人稱爲急流勇退，今古傳之。季真曾謁一賣藥王老，求冲舉之術，持一珠貽之。王老見賣餅者過，取珠易餅。季真口不敢言，甚懊惜之。王老曰：『慳吝未除，術何由得？』乃還其珠而去。則季真直一富貴利祿中人耳。《唐書》入之《隱逸傳》，亦不倫甚矣。月湖一泓汪洋，明瑟可愛，直抵南城。

城下密密植桃柳，四圍湖岸，亦間植名花果木以縈帶之。湖中櫛比者皆士夫園亭，臺榭傾圮，而松石蒼老。石上凌霄藤有斗大者，率百年以上物也。四明縉紳，田宅及其子，園亭及其身，平泉木石，多暮楚朝秦，故園亭亦聊且爲之，如傳舍衙署焉。屠赤水娑羅館亦僅存娑羅而已。所稱『雪浪』等石，在某氏園久矣。清明日，二湖游船甚盛，但橋小船不能大。城墻下址稍廣，桃柳爛漫，游人席地坐，亦飲亦歌，聲存西湖一曲。

金山夜戲

崇禎二年中秋後一日，余道鎮江往兗。日晡，至北固，艤舟江口。月光倒囊入水，江濤吞吐，露氣吸之，噀天爲白。余大驚喜，移舟過金山寺，已二鼓矣，經龍王堂，入大殿，皆漆靜。林下漏月光，疏疏如殘雪。余呼小僕携戲具，盛張燈火大殿中，唱韓蘄王金山及長江大戰諸劇。鑼鼓喧填，一寺人皆起看。有老僧以手背摋眼瞖，翕然張口，呵欠與笑嚏俱至。徐定睛，視爲何許人，以何事何時至，皆不敢問。劇完將曙，解纜過江，山僧至山脚，目送久之，不知是人、是怪、是鬼。

筠芝亭

筠芝亭，渾樸一亭耳。然而亭之事盡，筠芝亭一山之事亦盡。吾家後此亭而亭者，不及筠芝亭；後此亭而樓者、閣者、齋者，亦不及。總之，多一樓，亭中多一樓之礙；多一墻，亭中多一墻之礙。太僕公造此亭成，亭之外更不增一椽一瓦，亭之

内亦不設一檻一扉，此其意有在也。亭前後，太僕公手植樹皆合抱，清樾輕嵐，滃滃翳翳，如在秋水。亭前石臺，躐取亭中之景物而先得之，升高眺遠，眼界光明。敬亭諸山，箕踞麓下，溪壑瀠迴，水出松葉之上。臺下右旋，曲磴三折，老松僂背而立，頂垂一幹，倒下如小幢，小枝盤鬱，曲出輔之，旋蓋如曲柄葆羽。癸丑以前，不垣不臺，松意尤暢。

砎園

砎園，水盤據之，而得水之用，又安頓之若無水者。壽花堂，界以堤、以小眉山、以天問臺、以竹徑，則曲而長，則水之；内宅，隔以霞爽軒、以酣漱、以長廊、以小曲橋、以東籬，則深而邃，則水之；臨池，截以鱸香亭、梅花禪，則静而遠，則

水之；緣城，護以貞六居，以無漏庵、以菜園、以鄰居小户，則閟而安，則水之用盡，而水之意色指歸乎龐公池之水。龐公池，人弃我取，一意向園，目不他矚，腸不他迴，口不他諾，龍山蠖蜿，三摺就之而水不之顧。人稱矸園能用水，而卒得水力焉。大父在日，園極華縟。有二老盤旋其中，一老曰：『竟是蓬萊閬苑了也！』一老咈之曰：『個邊那有這樣？』

葑門荷宕

天啓壬戌六月二十四日，偶至蘇州，見士女傾城而出，畢集于葑門外之荷花宕。樓船畫舫至魚艣小艇，雇覓一空。遠方游客，有持數萬錢無所得舟，螘旋岸上者。余移舟往觀，一無所見。宕中以大船爲經，小船爲緯，游冶子弟，輕舟鼓吹，往來如梭。舟中麗人皆倩妝淡服，摩肩簇舄，汗透重紗。舟楫之勝以擠，鼓吹之勝以集，男女之勝以溷，歊暑燂爍，靡沸終日而已。荷花宕經歲無人迹，是日，士女以鞵靸不至爲耻。袁石公曰：『其男女之雜，燦爛之景，不可名狀。』大約露幃則千花競笑，舉袂則亂雲出峽，揮扇則星流月映，聞歌則雷輥濤趨。蓋恨虎丘中秋夜之模糊躲閃，特至是日而明白昭著之也。

越俗掃墓

越俗掃墓，男女袨服靚妝，畫船簫鼓，如杭州人游湖，厚人薄鬼，率以爲常。二十年前，中人之家尚用平水屋幘船，男女分兩截坐，不坐船，不鼓吹，先輩謔之曰：『以結上文兩節之意。』後漸華靡，雖監門小户，男女必用兩坐船，必巾，必鼓吹，必歡呼鬯飲。下午必就其路之所近，游庵堂、寺院及士夫家花園。鼓吹近城，必吹《海東青》、《獨行千里》，鑼鼓錯雜。酒徒沾醉，必岸幘囂嚎，唱無字曲，或舟中攘臂與儕列厮打。自二月朔至夏至，填城溢國，日日如之。乙酉方兵，劃江而守，雖魚艤菱舠，收拾略盡。墳壠數十里而遥，子孫數人挑魚肉楮錢，徒步往返之，婦女不得出城者三歲矣。蕭索凄凉，亦物極必反之一。

奔雲石

南屏石，無出『奔雲』右者。『奔雲』得其情，未得其理。石如滇茶一朵，風雨落之，半入泥土，花瓣棱棱三四層摺。人走其中如蝶入花心，無鬚不綴也。黄寓庸先生讀書其中，四方弟子千餘人，門如市。余幼從大父訪先生。先生面黧黑，多髭鬚，毛頰，河目海口，眉棱鼻梁，張口多笑。交際酬酢，八面應之。耳聆客言，目睹來牘，手書回札，口囑傒奴，雜沓于前，未嘗少錯。客至，無貴賤，便肉、便飯食之，夜即與同榻。余一書記往，頗穢惡，先生寢食之不异也，余深服之。丙寅至武林，亭榭傾圮，堂中窀先生遺蜕，不勝人琴之感。余見『奔雲』黝潤，色澤不減，謂客曰：『願假此一室，以石磥門，坐卧其下，可十年不出也。』客曰：『有盗。』余曰：『布衣褐被，身外長物則瓶粟與殘書數本而已。王弇州不曰「盗亦有道也」哉？』

木猶龍

木龍出遼海，爲風濤漱擊，形如巨浪跳蹴，遍體多著波紋，常開平王得之遼東，輦至京。開平第毀，謂木龍炭矣，及發瓦礫，見木龍埋入地數尺，火不及，驚异之，遂呼爲龍。不知何緣出易于市，先君子以犀觥十七隻售之。進魯獻王，誤書「木龍」犯諱，峻辭之，遂留長史署中。先君子弃世，余載歸，傳爲世寶。丁丑詩社，懇名公人錫之名，并賦小言咏之。周墨農字以「木猶龍」，倪鴻寶字以「木寓龍」，祁世培字以「海槎」，王士美字以「槎浪」，張毅儒字以「陸槎」，詩遂盈帙。木龍體肥痴，重千餘斤，自遼之京、之兖、之濟，繇陸；濟之杭，繇水。杭之江、之蕭山、之山陰、之余舍，水陸錯；前後費至百金，所易價不與焉。嗚呼，木龍可謂遇矣！余磨其龍腦尺木，勒銘志之，曰：「夜壑風雷，騫槎化石；海立山崩，烟雲滅没；謂有龍焉，呼之或出。」又曰：「擾龍張子，尺木書銘。何以似之？秋濤夏雲。」

天硯

少年視硯，不得硯醜。徽州汪硯伯至，以古款廢硯，立得重價，越中藏石俱盡。閱硯多，硯理出。曾托友人秦一生爲余覓石，遍城中無有。山陰獄中大盜出一石，璞耳，索銀二斤。余適往武林，一生造次不能辨，持示燕客。燕客指石中白眼曰：「黄牙臭口，堪留支桌。」賺一生還盜。燕客夜以三十金攫去。命硯伯製一天硯，上五小星一大星，譜曰「五星拱月」。燕客恐一生見，鏟去大小二星，止留三小星。一生知之，大懊恨，向余言。余笑曰：「猶子比兒。」亟往索看。燕客捧出，赤比馬肝，酥潤如玉，背隱白絲類瑪瑙，指螺細篆。面三星墳起如弩眼，著墨無聲而墨瀋烟起，一生痴痞口張而不能翕。燕客屬余銘，銘曰：『女媧煉天，不分玉石。鼇血蘆灰，烹霞鑄日。星河混擾，參橫箕翕。』

吴中絶技

吴中絶技：陸子岡之治玉，鮑天成之治犀，周柱之治嵌鑲，趙良璧之治梳，朱碧山之治金銀，馬勳、荷葉李之治扇，張寄修之治琴，范崑白之治三弦子，俱可上下百年保無敵手。但其良工苦心，亦技藝之能事。至其厚薄深淺，濃淡疏密，適與後世賞鑒家之心力、目力，針芥相投，是豈工匠之所能辨乎？蓋技也而進乎道矣。

濮仲謙雕刻

南京濮仲謙，古貌古心，粥粥若無能者，然其技藝之巧，奪天工焉。其竹器，一帚一刷，竹寸耳，勾勒數刀，價以兩計。然其所以自喜者，又必用竹之盤根錯節，以不事刀斧爲奇，則是經其手略刮磨之，而遂得重價，真不可解也。仲謙名噪甚，得其款，物輒騰貴。三山街潤澤于仲謙之手者數十人焉，而仲謙赤貧自如也。于友人座間見有佳竹、佳犀，輒自爲之。意偶不屬，雖勢劫之、利啖之，終不可得。

卷二

孔廟檜

己巳至曲阜，謁孔廟，買門者門以入。宮墻上有樓聳出，匾曰『梁山伯祝英臺讀書處』，駭异之。進儀門，看孔子手植檜。檜歷周、秦、漢、晋幾千年，至晋懷帝永嘉三年而枯。枯三百有九年，子孫守之不毁，至隋恭帝義寧元年復生，生五十一年，至唐高宗乾封三年再枯。枯三百七十有四年，至宋仁宗康定元年再榮。至金宣宗貞祐三年罹于兵火，枝葉俱焚，僅存其幹，高二丈有奇。後八十一年，元世祖三十一年再發。至洪武二十二年己巳，發數枝，蓊鬱。後十餘年又落。摩其幹，滑澤堅

潤，紋皆左紐，扣之作金石聲。孔氏子孫恒視其榮枯，以占世運焉。再進一大亭，卧一碑，書『杏壇』二字，党英筆也。亭界一橋，洙、泗水匯此。過橋，入大殿，殿壯麗，宣聖及四配、十哲俱塑像冕旒。案上列銅鼎三、一犧、一象、一辟邪，款製遒古，渾身翡翠，以釘釘案上。階下豎歷代帝王碑記，獨元碑高大，用風磨銅贔屭，高丈餘。左殿三楹，規模略小，爲孔氏家廟。東西兩壁，用小木扁書歷代帝王祭文。西壁之隅，高皇帝殿焉。廟中凡明朝封號，俱置不用，總以見其大也。孔家人曰：『天下只三家人家：我家與江西張、鳳陽朱而已。江西張，道士氣；鳳陽朱，暴發人家，小家氣。』

孔林

曲阜出北門五里許，爲孔林。紫金城城之，門以樓，樓上見小山一點正對東南者，嶧山也。折而西，有石虎、石羊三四，在榛莽中。過一橋，二水匯，泗水也。享殿後有子貢手植楷。楷大小千餘本，魯人取爲材，爲棋枰。享殿正對伯魚墓，聖人葬其子得中氣。由伯魚墓折而右，爲宣聖墓。去數丈，案一小山，小山之南爲子思墓。數百武之內，父、子、孫三墓在焉。譙周云：『孔子死後，魯人就冢次而居者百有餘家，曰「孔里」。』《孔叢子》曰：『夫子墓塋方一里，在魯城北六里泗水上。』諸孔氏封五十餘所，人名昭穆，不可復識。有碑銘三，獸碣俱在。《皇覽》曰：『弟子各以四方奇木來植，故多异樹不能名，一里之中未嘗産棘木荆草。』紫金城外，環而墓者數千家。三千二百餘年，子孫列葬不他徙，從古帝王所不能比隆也。宣聖墓右，有小屋三間，扁曰『子貢廬墓處』。蓋自兖州至曲阜道上，時官以木坊表識，有曰『齊人歸讙處』，有曰『子在川上處』，尚有義理；至泰山頂上，乃勒石曰『孔子小天下處』，則不覺失笑矣。

燕子磯

燕子磯，余三過之。水勢湁潗，舟人至此，捷捽抒取，鈎挽鐵纜，蟻附而上。篷窗中見石骨棱層，撑拒水際，不喜而怖，不識岸上有如許境界。戊寅到京後，同吕吉士出觀音門游燕子磯。方曉佛地仙都，當面蹉過之矣。登關王殿，吴頭楚尾，是侯用武之地，靈爽赫赫，鬚眉戟起。緣山走磯上，坐亭子，看江水瀲灩，舟下如箭。折而南，走觀音閣度索上之。閣旁僧院有峭壁千尋，碚礌如鐵；大楓數株，蓊以他樹，森森冷綠；小樓痴對，便可十年面壁。今僧寮佛閣，故故背之，其心何忍？是年，余歸浙，閔老子、王月生送至磯，飲石壁下。

魯藩烟火

兗州魯藩烟火妙天下。烟火必張燈，魯藩之燈，燈其殿、燈其壁、燈其楹柱、燈其屏、燈其座、燈其宮扇傘蓋。諸王公子、宮娥僚屬、隊舞樂工，盡收爲燈中景物。及放烟火，燈中景物又收爲烟火中景物。天下之看燈者，看燈燈外；看烟火者，看烟火烟火外。未有身入燈中、光中、影中、烟中、火中，閃爍變幻，不知其爲王宮内之烟火，亦不知其爲烟火内之王宮也。殿前搭木架數層，上放『黄蜂出窠』、『撒花蓋頂』、『天花噴礴』。四旁珍珠簾八架，架高二丈許，每一簾嵌孝、悌、忠、信、禮、義、廉、耻一大字。每字高丈許，晶映高明。下以五色火漆塑獅、象、橐駝之屬百餘頭，上騎百蠻，手中持象牙、犀角、珊瑚、玉斗諸器，器中實『千丈菊』、『千丈梨』諸火器，獸足躡以車輪，腹内藏人。旋轉其下，百蠻手中瓶花徐發，雁雁行行，且陣且走。移時，百獸口出火，尻亦出火，縱橫踐踏。端門内外，烟焰蔽天，月不得明，露不得下。看者耳目攫奪，屢欲狂易，恒内手持之。昔者有一蘇州人，自誇其州中燈事之盛，曰：『蘇州此時有烟火，亦無處放，放亦不得上。』衆曰：『何也？』

曰：『此時天上被烟火擠住，無空隙處耳！』人笑其誕。于魯府觀之，殆不誣也。

朱雲崍女戲

朱雲崍教女戲，非教戲也。未教戲，先教琴，先教琵琶，先教提琴、弦子、簫管、鼓吹、歌舞，借戲爲之，其實不專爲戲也。郭汾陽、楊越公、王司徒女樂，當日未必有此。絲竹錯雜，檀板清謳，入妙腠理，唱完以曲白終之，反覺多事矣。

西施歌舞，對舞者五人，長袖緩帶，繞身若環，曾撓摩地，扶旋猗那，弱如秋藥。女官内侍，執扇葆璇蓋、金蓮寶炬、紈扇、宮燈二十餘人，光焰熒煌，錦綉紛叠，見者錯愕。雲老好勝，遇得意處，輒盱目視客。得一讚語，輒走戲房，與諸姬道之，佹出佹入，頗極勞頓。且聞雲老多疑忌，諸姬曲房密户，重重封鎖，夜猶躬自巡歷，諸姬心憎之。有當御者，輒遁去，互相藏閃，只在曲房，無可覓處，必叱咤而罷。殷殷防護，日夜爲勞，是無知老賤，自討苦吃者也，堪爲老年好色之戒。

紹興琴派

丙辰，學琴于王侣鵝。紹興存王明泉派者推侣鵝，學《漁樵問答》、《列子御風》、《碧玉調》、《水龍吟》、《搗衣環珮聲》等曲。戊午，學琴于王本吾，半年得二十餘曲：《雁落平沙》、《山居吟》、《静觀吟》、《清夜坐鐘》、《烏夜啼》、《漢宮秋》、《高山流水》、《梅花弄》、《淳化引》、《滄江夜雨》、《莊周夢》，又《胡笳十八拍》、《普庵咒》等小曲十餘種。王本吾指法圓静，微帶油腔。余得其法，練熟還生，以澀勒出之，遂稱合作。同學者范與蘭、尹爾韜、何紫翔、王士美、燕客、平子。與蘭、士美、燕客、平子俱不成，紫翔得本吾之八九而微嫩，爾韜得本吾之八九而微迂，余曾與本吾、紫翔、爾韜取琴四張彈之，如出一手，聽者駴服。後本吾而來越者有張慎行、何明臺，結實有餘而蕭散不足，無出本吾上者。

花石綱遺石

越中無佳石。董文簡齋中一石，磊塊正骨，窋窕數孔，疏爽明易，不作靈譎波詭，朱勔花石綱所遺，陸放翁家物也。文簡竪之庭除，石後種剔牙松一株，辟咡負劍，與石意相得。文簡軒其北，名『獨石軒』，石之軒獨之無异也。石簣先生讀書其

中，勒銘志之。大江以南，花石綱遺石，以吴門徐清之家一石爲石祖。石高丈五，朱勔移舟中，石盤沉太湖底，覓不得，遂不果行。後歸烏程董氏，載至中流，船復覆。董氏破資募善入水者取之，先得其盤，詫异之。又休水取石，石亦旋起。時人比之延津劍焉。後數十年，遂爲徐氏有，再傳至清之，以三百金竪之。石連底高二丈許，變幻百出，無可名狀。大約如吴無奇游黄山，見一怪石輒瞋目叫曰：『豈有此理！豈有此理！』

焦山

仲叔守瓜州，余借住于園，無事輒登金山寺。風月清爽，二鼓，猶上妙高臺，長江之險，遂同溝澮。一日，放舟焦山，山更紆譎可喜。江曲過山下，水望澄明，淵無潛甲。海猪、海馬，

投飯起食，馴擾若豢魚。看水晶殿，尋瘞鶴銘，山無人雜，靜若太古。回首瓜州，烟火城中，真如隔世。飯飽睡足，新浴而出，走拜焦處士祠，見其軒冕黼黻，夫人列坐，陪臣四，女官四，羽葆雲罕，儼然王者。蓋土人奉爲土穀，以王禮祀之。是猶以杜十姨配伍髭鬚，千古不能正其非也。處士有靈，不知走向何所？

表勝庵

爐峰石屋，爲一金和尚結茆守土之地，後住錫柯橋融光寺。大父造表勝庵成，迎和尚還山住持。命余作啓，啓曰：『伏以叢林表勝，慚給孤之大地布金；天瓦安禪，冀寶掌自五天飛錫。重來石塔，戒長老特爲東坡；懸契松枝，萬回師却逢西

向。去無作相，住亦隨緣。伏惟九里山之精藍，實是一金師之初地。偶聽柯亭之竹篴，留滯人間；久虛石屋之烟霞，應超塵外。譬之孤天之鶴，尚眷舊枝；想彼彌空之雲，亦歸故岫。況兹勝域，宜兆异人。了住山之夙因，立開堂之新範。護門容虎，洗鉢歸龍。茗得先春，仍是寒泉風味；香來破臘，依然茅屋梅花。半月岩似與人猜，請大師試爲標指；一片石正堪對語，聽生公説到點頭。敬藉山靈，願同石隱。倘靜念結遠公之社，定不攢眉；若居心如康樂之流，自難開口。立返山中之駕，看回湖上之船，仰望慈悲，俯從大衆。』

梅花書屋

陔萼樓後，老屋傾圮，余築基四尺，造書屋一大間。旁廣

耳室如紗幮，設臥榻。前後空地，後墻壇其趾，西瓜瓤大牡丹三株，花出墻上，歲滿三百餘朵。壇前西府二樹，花時，積三尺香雪。前四壁稍高，對面砌石臺，插太湖石數峰。西溪梅骨古勁，滇茶數莖嫵媚，其旁梅根種西番蓮，纏繞如纓絡。窗外竹棚，密寶襄蓋之。階下翠草深三尺，秋海棠疏疏雜入。前後明窗，寶襄西府，漸作綠暗。余坐臥其中，非高流佳客，不得輒入。慕倪迂清閟，又以『雲林秘閣』名之。

不二齋

不二齋，高梧三丈，翠樾千重，墻西稍空，臘梅補之，但有綠天，暑氣不到。後窗墻高于檻，方竹數竿，瀟瀟灑灑，鄭子昭『滿耳秋聲』橫披一幅。天光下射，望空視之，晶沁如玻璃、雲母，坐者恒在清涼世界。圖書四壁，充棟連床；鼎彝尊罍，不移而具。余于左設石床竹几，帷之紗幕，以障蚊虻，綠暗侵紗，照面成碧。夏日，建蘭、茉莉薌澤浸人，沁入衣裾。重陽前後，移菊北窗下。菊盆五層，高下列之，顏色空明，天光晶映，如沈秋水。冬則梧葉落，臘梅開，暖日曬窗，紅爐毾㲪。以崑山石種水仙列階趾。春時，四壁下皆山蘭，檻前芍藥半畝，多有异本。余解衣盤礴，寒暑未嘗輕出，思之如在隔世。

砂罐錫注

宜興罐，以龔春爲上，時大彬次之，陳用卿又次之。錫注，以王元吉爲上，歸懋德次之。夫砂罐，砂也；錫注，錫也。器方脱手，而一罐一注價五六金，則是砂與錫與價其輕重正相等焉，豈非怪事！一砂罐、一錫注，直躋之商彝、周鼎之列，而毫無慚色，則是其品地也。

沈梅岡

沈梅岡先生忤相嵩，在獄十八年，讀書之暇，旁攻匠藝，無斧鋸，以片鐵日夕磨之，遂銛利。得香楠尺許，琢爲文具一，大匣三，小匣七，壁鎖二，棕竹數片爲箑一，爲骨十八。以笋、以縫、以鍵，堅密肉好，巧匠謝不能事，夫人匄先文恭志公墓，持以爲贄，文恭拜受之，銘其匣曰：『十九年中郎節，十八年給諫匣，節邪匣邪同一轍。』銘其箑曰：『塞外氈，饑可飡；獄中箑，塵莫干。前蘇後沈名班班。』梅岡製，文恭銘，徐文長書，張應堯鐫，人稱四絶，余珍藏之。又聞其以粥煉土，凡數年，範爲銅鼓者二，聲聞里許，勝暹羅銅。

岣嶁山房

岣嶁山房，逼山、逼溪、逼弢光路，故無徑不梁，無屋不閣。門外蒼松傲睨，蓊以雜木，冷緑萬頃，人面俱失。石橋底磴可坐十人。寺僧刳竹引泉，橋下交交牙牙，皆爲竹節。天啓甲子，余鍵户其中者七閲月，耳飽溪聲，目飽清樾。山上下多西栗邊笋，甘芳無比。鄰人以山房爲市，蓏果羽族日致之，而獨無魚。乃潴溪爲壑，繫巨魚數十頭，有客至，輒取魚給鮮。日晡，必步冷泉亭、包園、飛來峰。一日，緣溪走看佛像，口口罵楊髠。見一波斯坐龍象，蠻女四五獻花果，皆裸形，勒石志之，乃真伽像也。余椎落其首，并碎諸蠻女，置溺溲處以報之。寺僧以余爲椎佛也，咄咄作怪事，及知爲楊髡，皆歡喜讚嘆。

三世藏書

余家三世積書三萬餘卷。大父詔余曰：『諸孫中惟爾好書，爾要看者，隨意携去。』余簡太僕文恭大父丹鉛所及有手澤者存焉，彙以請，大父喜，命舁去，約二千餘卷。天啓乙丑，大父去世，余適往武林，父叔及諸弟、門客、匠指、臧獲、巢婢輩亂取之，三代遺書一日盡失。余自垂髫聚書四十年，不下三萬卷。乙酉避兵入剡，略携數簏隨行，而所存者，爲方兵所據，日裂以吹烟，并舁至江干，籍甲内攩箭彈，四十年所積，亦一日盡失。此吾家書運，亦復誰尤！余因嘆古今藏書之富，無過隋、唐。隋嘉則殿分三品，有紅琉璃、紺琉璃、漆軸之异。殿垂

錦幔，繞刻飛仙。帝幸書室，踐暗機，則飛仙收幔而上，橱扉自啓，帝出，閉如初。隋之書計三十七萬卷。唐遷内庫書于東宮麗正殿，置修文、著作兩院學士，得通籍出入。太府月給蜀都麻紙五千番，季給上谷墨三百三十六丸，歲給河間、景城、清河、博平四郡兔千五百皮爲筆。以甲、乙、丙、丁爲次，唐之書計二十萬八千卷。我明中秘書，不可勝計，即《永樂大典》一書，亦堆積數庫焉。余書直九牛一毛耳，何足數哉！

卷三

絲社

越中琴客不滿五六人，經年不事操縵，琴安得佳？余結絲社，月必三會之，有小檄曰：『中郎音癖，《清溪弄》三載乃成；賀令神交，《廣陵散》千年不絕。器繇神以合道，人易學而難精。幸生岩壑之鄉，共志絲桐之雅。清泉磐石，援琴歌《水仙》之操，便足怡情；澗響松風，三者皆自然之聲，政須類聚。偕我同志，爰立琴盟，約有常期，寧虛芳日？雜絲和竹，用以鼓吹清音；動操鳴弦，自令衆山皆響。非關匣裏，不在指頭，東坡老方是解人；但識琴中，無勞弦上，元亮輩政堪佳侶。既調商角，翻信肉不如絲；諧暢風神，雅羨心生于手。從容秘玩，莫令解穢于花奴；抑按盤桓，敢謂倦生于古樂。共憐同調之友聲，用振絲壇之盛舉。』

南鎮祈夢

萬曆壬子，余年十六，祈夢于南鎮夢神之前，因作疏曰：

『爰自混沌譜中，别開天地；華胥國裏，早見春秋。夢兩楹，夢赤舄，至人不無；夢蕉鹿，夢軒冕，痴人敢説。惟其無想無因，未嘗夢乘車入鼠穴，擣虀啖鐵杵；非其先知先覺，何以將得位夢棺器，得財夢穢矢？正在恍惚之交，儼若神明之賜。某也躨跜偃潴，軒翥樊籠，顧影自憐，將誰以告？爲人所玩，吾何以堪？一鳴驚人，赤壁鶴邪？局促轅下，南柯蟻耶？得時則駕，渭水熊耶？半榻蘧除，漆園蝶耶？神其詔我，或寢或吪；我得先知，何從何去。擇此一陽之始，以祈六夢之正。功名志急，欲搔首而問天；祈禱心堅，故舉頭以搶地。軒轅氏圓夢鼎湖，已知一字而有一驗；李衛公上書西嶽，可云三問而三不靈。肅此以聞，惟神垂鑒。』

禊泉

惠山泉不渡錢塘，西興脚子挑水過江，喃喃作怪事。有縉紳先生造大父，飲茗大佳，問曰：『何地水？』大父曰：『惠泉水。』縉紳先生顧其价曰：『我家逼近衛前而不知打水吃，切記之。』董日鑄先生常曰：『濃、熱、滿三字盡茶理，陸羽《經》可燒也。』兩先生之言，足見紹興人之村、之樸。余不能飲潟

鹵，又無力遞惠山水。甲寅夏，過斑竹庵，取水啜之，磷磷有圭角，异之。走看其色，如秋月霜空，噀天爲白。又如輕嵐出岫，繚松迷石，淡淡欲散。余倉卒見井口有字畫，用帚刷之，『禊泉』字出，書法大似右軍，益异之。試茶，茶香發。新汲少有石腥，宿三日，氣方盡。辨禊泉者無他法，取水入口，第撟舌舐齶，過頰即空，若無水可咽者，是爲禊泉。好事者信之，汲日至，或取以釀酒，或開禊泉茶館，或瓮而賣及饋送有司。董方伯守越，飲其水，甘之，恐不給，封鎖禊泉，禊泉名日益重。會稽陶溪、蕭山北幹、杭州虎跑，皆非其伍，惠山差堪伯仲。在蠡城，惠泉亦勞而微熱，此方鮮磊，亦勝一籌矣。長年鹵莽，水遞不至其地，易他水，余笞之，詈同伴，謂發其私，及余辨是某地

某井水，方信服。昔人水辨淄、澠，侈爲异事。諸水到口，實實易辨，何待易牙？余友趙介臣亦不余信，同事久，别余去，曰：『家下水實進口不得，須還我口去。』

蘭雪茶

日鑄者，越王鑄劍地也。茶味稜稜有金石之氣。歐陽永叔曰：『兩浙之茶，日鑄第一。』王龜齡曰：『龍山瑞草，日鑄雪芽。』日鑄名起此。京師茶客，有茶則至，意不在雪芽也，而雪芽利之，一如京茶式，不敢獨异。三峨叔知松蘿焙法，取瑞草試之，香撲冽。余曰：『瑞草固佳，漢武帝食露盤，無補多欲。日鑄茶藪，「牛雖瘠僨于豚上」也。』遂募歙人入日鑄。扚法、掐法、挪法、撒法、扇法、炒法、焙法、藏法，一如松蘿。他泉瀹

之，香氣不出，煮禊泉，投以小罐，則香太濃郁。雜入茉莉，再三較量，用敞口瓷甌淡放之，候其冷，以旋滾湯衝瀉之，色如竹籜方解，緑粉初匀，又如山窗初曙，透紙黎光。取清妃白傾向素瓷，真如百莖素蘭同雪濤并瀉也。雪芽得其色矣，未得其氣，余戲呼之『蘭雪』。四五年後，『蘭雪茶』一哄如市焉。越之好事者不食松蘿，止食蘭雪。蘭雪則食，以松蘿而篡蘭雪者亦食，蓋松蘿貶聲價俯就蘭雪，從俗也。乃近日徽歙間松蘿亦名蘭雪，向以松蘿名者，封面係换，則又奇矣。

白洋潮

故事，三江看潮，實無潮看。午後喧傳曰：『今年暗漲潮。』歲歲如之。戊寅八月，吊朱恒岳少師，至白洋，陳章侯、

祁世培同席。海塘上呼看潮，余遄往，章侯、世培踵至。立塘上，見潮頭一綫，從海寧而來，直奔塘上。稍近則隱隱露白，如驅千百群小鵝，擘翼驚飛。漸近，噴沫冰花蹴起，如百萬雪獅蔽江而下，怒雷鞭之，萬首鏃鏃無敢後先。再近則飓風逼之，勢欲拍岸而上。看者辟易，走避塘下。潮到塘，盡力一礴，水擊射濺起數丈，著面皆濕。旋捲而右，龜山一擋，轟怒非常，炮碎龍湫，半空雪舞，看之驚眩，坐半日，顔始定。先輩言：浙江潮頭自龕、赭兩山漱激而起，白洋在兩山外，潮頭更大，何耶？

陽和泉

禊泉出城中，水遞者日至。臧獲到庵借炊，索薪、索菜、索米，後索酒、索肉，無酒肉，輒揮老拳。僧苦之。無計脱此苦，乃罪泉，投之芻穢。不已，乃决溝水敗泉，泉大壞。張子知之，至禊井，命長年浚之。及半，見竹管積其下，皆蟄脹作氣，竹盡見芻穢，又作奇臭。張子淘洗數次，俟泉至，泉實不壞，又甘冽。張子去，僧又壞之。不旋踵，至再、至三，卒不能救，禊泉竟壞矣。是時，食之而知其壞者半，食之不知其壞而仍食之者半，食之知其壞而無泉可食、不得已而仍食之者半。壬申，有稱陽和嶺玉帶泉者，張子試之，空靈不及禊而清冽過之。特以玉帶名不雅馴。張子謂陽和嶺實爲余家祖墓，誕生我文恭，遺風餘烈，與山水俱長。昔孤山泉出，東坡名之『六一』，今此泉名之『陽和』，至當不易。蓋生嶺生泉，俱在生文恭之前，不待文恭而天固已陽和之矣，夫復何疑！土人有好事者，恐玉帶失其姓，遂勒石署之。且曰：『自張志「禊泉」而「禊泉」爲張氏有，今琶山是其祖壟，擅之益易。立石署之，懼其奪也。』時有傳其語者，陽和泉之名益著。銘曰：『有山如礪，有泉如砥。太史遺烈，落落磊磊。孤嶼溢流，六一擅之。千年巴蜀，實繁其齒。但言眉山，自屬蘇氏。』

閔老子茶

周墨農向余道閔汶水茶不置口。戊寅九月至留都，抵岸，即訪閔汶水于桃葉渡。日晡，汶水他出，遲其歸，乃婆娑一老。方叙話，遽起曰：『杖忘某所。』又去。余曰：『今日豈可空去？』遲之又久，汶水返，更定矣。睨余曰：『客尚在耶？客在奚爲者？』余曰：『慕汶老久，今日不暢飲汶老茶，决不去。』汶水喜，自起當鑪。茶旋煮，速如風雨。導至一室，明窗净几，荆溪壺、成宣窑瓷甌十餘種皆精絶。燈下視茶色，與瓷甌無別，而香氣逼人，余叫絶。余問汶水曰：『此茶何産？』汶水曰：『閬苑茶也。』余再啜之，曰：『莫紿余！是閬苑製法，而味不似。』汶水匿笑曰：『客知是何産？』余再啜之，曰：『何其似羅岕甚也。』汶水吐舌曰：『奇，奇！』余問：『水何水？』曰：『惠泉。』余又曰：『莫紿余！惠泉走千里，水勞而圭角不動，何也？』汶水曰：『不復敢隱。其取惠水，必淘井，靜夜候新泉至，旋汲之。山石磊磊藉瓮底，舟非風則勿行，故水之生磊。即尋常惠水，猶遜一頭地，況他水邪！』又吐舌曰：『奇，奇！』言未畢，汶水去。少頃，持一壺滿斟余曰：『客啜此。』

焉。文懿公張無垢後身，無垢降乩與文懿談宿世因甚悉，約公某日面晤于逍遥樓。公佇立久之，有老人至，劇談良久，公殊不爲意。但與公言：『柯亭緑竹庵梁上，有殘經一卷，可了之。』尋别去，公始悟老人爲無垢。次日，走緑竹庵，簡梁上，有《維摩經》一部，繕寫精良，後二卷未竟，蓋無垢筆也。公取而續書之，如出一手。先君言乩仙供余家壽芝樓，懸筆挂壁間，有事輒自動，扶下書之，有奇驗。娠祈子，病祈藥，賜丹詔取某處，立應。先君祈嗣，詔取丹于某簏臨川筆内，簏失鑰閉久，先君簡視之，鑰自出觚管中，有金丹一粒，先宜人吞之，即娠余。朱文懿公有姬媵，陳夫人獅子吼，公苦之，禱于仙，求化妒丹，乩書曰：『難！難！丹在公枕内。』取以進夫人，夫人服之，語人曰：『老頭子有仙丹，不餉諸婢，而余是餉，尚昵余。』與公相好如初。

天鏡園

天鏡園浴鳧堂，高槐深竹，樾暗千層，坐對蘭蕩，一泓漾之，水木明瑟，魚鳥藻荇類若乘空。余讀書其中，撲面臨頭，受用一緑，幽窗開卷，字俱碧鮮。每歲春老，破塘笋必道此。輕舠飛出，牙人擇頂大笋一株擲水面，呼園中人曰：『撈笋！』鼓枻飛去。園丁划小舟拾之，形如象牙，白如雪，嫩如花藕，甜如蔗霜。煮食之，無可名言，但有慚愧。

包涵所

西湖三船之樓，實包副使涵所創爲之。大小三號：頭號置歌筵，儲歌童；次載書畫；再次侍美人。涵老聲妓非侍妾比，仿石季倫、宋子京家法，都令見客。靚妝走馬，媻姍勃窣，穿柳過之，以爲笑樂。明檻綺疏，曼謳其下，擫籥彈箏，聲如鶯試。客至則歌童演劇，隊舞鼓吹，無不絕倫。

乘興一出，住必浹旬，觀者相逐，問其所止。南園在雷峰塔下，北園在飛來峰下。兩地皆石藪，積牒磊砢，無非奇峭，但亦借作溪澗橋梁，不于山上叠山，大有文理。大廳以拱斗擡梁，偷其中間四柱，隊舞獅子甚暢。北園作八卦房，園亭如規，分作八格，形如扇面。當其狹處，横亘一床，帳前後開闔，下裏帳則床向外，下外帳則床向内。涵老據其中，扃上開明窗，焚香倚枕，則八床面面皆出。窮奢極欲，老于西湖者二十年。金谷、郿塢，著一毫寒儉不得，索性繁華到底，亦杭州人所謂『左右是左右』也。西湖大家何所不有，西子有時亦貯金屋，咄咄書空，則窮措大耳。

鬥鷄社

天啓壬戌間好鬥鷄，設鬥鷄社于龍山下，仿王勃《鬥鷄檄》，檄同社。仲叔秦一生日携古董、書畫、文錦、川扇等物與余博，余鷄屢勝之。仲叔忿懣，金其距，介其羽，凡足以助其膈膊翻咮者無遺策，又不勝。人有言徐州武陽侯樊噲子孫，鬥鷄雄天下，長頸烏喙，能于高桌上啄粟。仲叔心動，密遣使訪之，又不得，益忿懣。一日，余閱稗史，有言唐玄宗以酉年酉月生，好鬥鷄而亡其國。余亦酉年酉月生，遂止。

栖霞

戊寅冬，余携竹兜一、蒼頭一，游栖霞，三宿之。山上下左右鱗次而櫛比之，岩石頗佳，盡刻佛像，與杭州飛來峰同受黥劓，是大可恨事。山頂怪石巉岏，灌木蒼鬱，有顛僧住之。與余談，荒誕有奇理，惜不得窮詰之。日晡，上攝山頂觀霞，非復霞理，余坐石上痴對。復走庵後，看長江帆影，老鸛河、黄天蕩，條條出麓下，悄然有山河遼廓之感。一客盤礴余前，熟視余，余晋與揖，問之，爲蕭伯玉先生，因坐與劇談，庵僧設茶供。伯玉問及補陀，余適以是年朝海歸，談之甚悉。《補陀志》方成，在篋底，出示伯玉，伯玉大喜，爲余作叙。取火下山，拉與同寓宿，夜長無不談之，伯玉强余再留一宿。

湖心亭看雪

崇禎五年十二月，余住西湖。大雪三日，湖中人鳥聲俱絶。是日更定矣，余挐一小舟，擁毳衣爐火，獨往湖心亭看雪。霧凇沆碭，天與雲、與山、與水，上下一白。湖上影子，惟長堤一痕，湖心亭一點，與余舟一芥，舟中人兩三粒而已。到亭上，有兩人鋪氈對坐，一童子燒酒，爐正沸。見余大驚喜，曰：『湖中焉得更有此人！』拉余同飲。余强飲三大白而別。問其姓氏，是金陵人，客此。及下船，舟子喃喃曰：『莫説相公痴，更有痴似相公者。』

陳章侯

崇禎己卯八月十三，侍南華老人飲湖舫，先月早歸。章侯悵悵向余曰：『如此好月，擁被卧耶？』余敕蒼頭携家釀斗許，呼一小划船再到斷橋，章侯獨飲，不覺沾醉，過玉蓮亭。丁叔潛呼舟北岸，出塘栖蜜橘相餉，亹啖之。章侯方卧船上嚎囂，岸上有女郎命童子致意云：『相公船肯載我女郎至一橋否？』余許之。女郎欣然下，輕紈淡弱，婉瘱可人。章侯被酒挑之曰：『女郎俠如張一妹，能同虬髯客飲否？』女郎欣然就飲。移舟至一橋，漏二下矣，竟傾家釀而去，問其住處，笑而不答。章侯欲躡之，見其過岳王墳，不能追也。

生、顧眉、董白、李十、楊能，取戎衣衣客，并衣姬侍。姬侍服大紅錦狐嵌箭衣、昭君套，乘款段馬。鞲青骹，緤韓盧，烷箭手百餘人，旗幟棍棒稱是，出南門校獵于牛首山前後，極馳驟縱送之樂。得鹿一、麂三、兔四、雉三、猫狸七。看劇于獻花岩，宿于祖塋。次日午後獵歸，出鹿麂以饗士，復縱飲于隆平家。江南不曉獵較爲何事，余見之圖畫戲劇。今身親爲之，果稱雄快。然自須勳戚豪右爲之，寒酸不辦也。

楊神廟臺閣

楓橋楊神廟，九月迎臺閣。十年前迎臺閣，臺閣而已；自駱氏兄弟主之，一以思緻文理爲之。扮馬上故事二三十騎，扮傳奇一本，年年換，三日亦三換之。其人與傳奇中人必酷肖方

用。全在未扮時，一指點爲某似某，非人人絶倒者不之用。迎後，如扮胡樋者直呼爲胡樋，遂無不胡樋之，而此人反失其姓。人定，然後議扮法，必裂繒爲之。果其人其袍鎧須某色、某緞、某花樣，雖匹錦數十金不惜也。一冠一履，主人全副精神在焉。諸友中有能生造刻畫者，一月前禮聘至，匠意爲之，唯其使。裝束備，先期扮演，非百口叫絶又不用。故一人一騎，其中思緻文理，如玩古董名畫，一勾一勒不得放過焉。土人有小小灾祲，輒以小白旗一面到廟禳之，所積盈庫。是日以一竿穿旗三四，一人持竿三四走神前，長可七八里，如幾百萬白蝴蝶迴翔盤礴在山坳樹隙。四方來觀者數十萬人。市楓橋下，亦攤亦篷。臺閣上馬上有金珠寶石墮地，拾者如有物憑焉不能去，

必送還神前。其在樹叢田坎間者，問神，輒示其處不或爽。

雪精

外祖陶蘭風先生倅壽州，得白騾，蹄跲都白，日行二百里，畜署中。壽州人病噎隔，輒取其尿療之。凡告期，乞騾尿狀常十數紙，外祖以木香沁其尿，詔百姓來取。後致仕歸，捐館，舅氏畬軒解驂贈余。余豢之十年許，實未嘗具一日草料，日夜聽其自出覓食，視其腹未嘗不飽，然亦不曉其何從得飽也。天曙，必至門祗候，進厩候驅策，至午勿御，仍出覓食如故。後漸跛扈難御，見余則馴服不動，跨鞍去如箭，易人則咆哮蹄齧，百計鞭策之不應也。一日，與風馬争道城上，失足墮濠塹死，余命葬之，謚之曰『雪精』。

嚴助廟

陶堰司徒廟，漢會稽太守嚴助廟也。歲上元設供，任事者，聚族謀之終歲。凡山物粗粗（虎、豹、麋鹿、獾猪之類），海物噩噩（江豚、海馬、鱘黄、沙魚之類），陸物痴痴（猪必三百斤，羊必二百斤，一日一换。鷄、鵝、鳧、鴨之屬，不極肥，不上貢），水物噞噞（凡蝦、魚、蟹、蚌之類，無不鮮活），羽物毨毨（孔雀、白鷳、錦鷄、白鸚鵡之屬，即生供之），毛物毧毧（白鹿、白兔、活貂鼠之屬，亦生供之），洎非地（閩鮮荔枝、圓眼、北蘋婆果、沙果、文官果之類）、非天（桃、梅、李、杏、楊梅、枇杷、櫻桃之屬，收藏如新擷）、非制（熊掌、猩唇、豹胎之屬）、非性（酒醉、蜜餞之類）、非理（雲南蜜唧、峨眉雪蛆之類）、非想（天花龍蛋、雕鏤瓜棗、捻塑米麵之類）之物，無不集。庭實之盛，自帝王宗廟社稷壇壝所不能比隆者。十三日，以大船二十艘載盤軨，以童崽扮故事，無甚文理，以多爲勝。城中及村落人，水逐陸奔，隨路兜截轉摺，謂之『看燈頭』。五夜，夜在廟演劇，梨園必倩越中上三班，或雇自武林者，纏頭日數萬錢，唱《伯喈》、《荆釵》，一老者坐臺下對院本，一字脱落，群起噪之，又開場重做。越中有『全伯喈』、『全荆釵』之名起此。天啓三年，余兄弟携南院王岑，老串楊四、徐孟雅，圓社河南張大來輩往觀之。到廟蹴踘，張大來以『一丁泥』、『一串珠』名世。球著足，渾身旋滚，一似黏疐有膠、提掇有綫、穿插有孔者，人人叫絶。劇至半，王岑扮李三娘，楊四扮火工竇老，徐孟雅扮洪一嫂，馬小卿十二歲，扮咬臍，串《磨房》、《撇池》、《送子》、《出獵》四齣。科諢曲白，妙入筋髓，又復叫絶。遂解維歸。戲場氣奪，鑼不得響，燈不得亮。

乳酪

乳酪自駔儈爲之，氣味已失，再無佳理。余自豢一牛，夜取乳置盆盎，比曉，乳花簇起尺許，用銅鐺煮之，瀹蘭雪汁，乳斤和汁四甌，百沸之。玉液珠膠，雪腴霜膩，吹氣勝蘭，沁入肺腑，自是天供。或用鶴觴花露入甑蒸之，以熱妙；或用豆粉攙和漉之成腐，以冷妙。或煎酥，或作皮，或縛餅，或酒凝，或鹽醃，或醋捉，無不佳妙。而蘇州過小拙和以蔗漿霜，熬之、濾之、鑽之、掇之、印之爲帶骨鮑螺，天下稱至味。其製法秘甚，鎖密房，以紙封固，雖父子不輕傳之。

二十四橋風月

廣陵二十四橋風月，邗溝尚存其意。渡鈔關，横亘半里許，爲巷者九條。巷故九，凡周旋折旋于巷之左右前後者什百之。巷口狹而腸曲，寸寸節節有精房密户，名妓、歪妓雜處之。名妓匿不見人，非嚮道莫得入。歪妓多可五六百人，每日傍晚，膏沐薰燒，出巷口，倚徙盤礴于茶館酒肆之前，謂之『站關』。茶館酒肆岸上紗燈百盞，諸妓掩映閃滅于其間，𦃢𥲤者簾，雄趾者閾，燈前月下，人無正色，所謂『一白能遮百醜』者，粉之力也。游子過客，往來如梭，摩睛相覷，有當意者，逼前牽之去，而是妓忽出身分，肅客先行，自緩步尾之。至巷口，有偵伺者向巷門呼曰：『某姐有客了！』内應聲如雷，火燎即出，一俱去。剩者不過二三十人。沉沉二漏，燈燭將燼，茶館黑魆無人聲。茶博士不好請出，惟作呵欠，而諸妓醵錢向茶博士買燭寸許，以待遲客。或發嬌聲唱《劈破玉》等小詞，或自相謔浪嘻笑，故作熱鬧以亂時候；然笑言啞啞聲中，漸帶凄楚。夜分不得不去，悄然暗摸如鬼，見老鴇，受餓、受笞，俱不可知矣。余族弟卓如，美鬚髯，有情痴，善笑，到鈔關必狎妓，向余噱曰：『弟今日之樂，不減王公。』余曰：『何謂也？』曰：『王公大人侍妾數百，到晚耽耽望幸，當御者亦不過一人。弟過鈔關，美人數百人，目挑心招，視我如潘安，弟頤指氣使，任意揀擇，亦必得一當意者呼而侍我。王公大人豈遂過我哉！』復大噱，余亦大噱。

世美堂燈

兒時跨蒼頭頸，猶及見王新建燈。燈皆貴重華美，珠燈料絲無論，即羊角燈亦描金細畫，纓絡罩之，懸燈百盞，尚須秉燭而行，大是悶人。余見《水滸傳》燈景詩有云：『樓臺上下火照火，車馬往來人看人。』已盡燈理。余謂燈不在多，總求一亮。余每放燈，必用如椽大燭，顓令數人剪卸燼煤，故光迸重垣，無微不見。十年前，里人有李某者，爲閩中二尹，撫臺委其造燈，選雕佛匠，窮工極巧，造燈十架，凡兩年，燈成而撫臺已物故，携歸藏櫝中。又十年許，知余好燈，舉以相贈，余酬之五十金，十不當一，是爲主燈；遂以燒珠、料絲、羊角、剔紗諸燈輔之。而友人有夏耳金者，剪綵爲花，巧奪天工，罩以冰紗，

有烟籠芍藥之致。更用粗鐵綫界畫規矩，匠意出樣，剔紗爲蜀錦皺，其界地鮮艷出人。耳金歲供鎮神，必造燈一盞，燈後，余每以善價購之。余一小傒善收藏，雖紙燈亦十年不得壞，故燈日富。又從南京得趙士元夾紗屏及燈帶數副，皆屬鬼工，决非人力。燈宵出其所有，便稱勝事。鼓吹弦索，厮養臧獲皆能爲之。有蒼頭善製盆花，夏間以羊毛煉泥墩高二尺許，築『地涌金蓮』，聲同雷炮。花蓋畝餘。不用煞拍鼓鐃，清吹鎖吶應之，望花緩急爲鎖吶緩急，望花高下爲鎖吶高下。燈不演劇則燈意不酣，然無隊舞鼓吹，則燈焰不發。余敕小傒串元劇四五十本。演元劇四齣，則隊舞一回，鼓吹一回，弦索一回。其間濃淡繁簡鬆實之妙，全在主人位置，使易人易地爲之，自不能爾

爾。故越中誇燈事之盛，必曰『世美堂燈』。

甯了

大父母喜豢珍禽：舞鶴三對，白鷴一對，孔雀二對，吐綬鷄一隻，白鸚鵡、鶻哥、緑鸚鵡十數架。一异鳥名『甯了』，身小如鴿，黑翎如八哥，能作人語，絶不含糊。大母呼媵婢，輒應聲曰：『某丫頭，太太叫！』有客至，叫曰：『太太，客來了，看茶！』有一新娘子善睡，黎明輒呼曰：『新娘子，天明了，起來罷！太太叫，快起來！』不起，輒罵曰：『新娘子，臭淫婦，浪蹄子！』新娘子恨甚，置毒藥殺之。甯了疑即秦吉了，蜀叙州出，能人言。一日夷人買去，驚死，其靈异酷似之。

張氏聲伎

謝太傅不畜聲伎，曰：『畏解，故不畜。』王右軍曰：『老年賴絲竹陶寫，恒恐兒輩覘。』曰『解』，曰『覘』，古人用字深確。蓋聲音之道入人最微，一解則自不能已，一覘則自不能禁也。我家聲伎，前世無之，自大父于萬曆年間與范長白、鄒愚公、黄貞父、包涵所諸先生講究此道，遂破天荒爲之。有『可餐班』，以張綵、王可餐、何閏、張福壽名；次則『武陵班』，以何韵士、傅吉甫、夏清之名；再次則『梯仙班』，以高眉生、李岭生、馬藍生名；再次則『吴郡班』，以王畹生、夏汝開、楊嘯生名；再次則『蘇小小班』，以馬小卿、潘小妃名；再次則平子『茂苑班』，以李含香、顧岭竹、應楚烟、楊騄駬名。主人解事日精一日，而傒僮技藝亦愈出愈奇。余歷年半百，小傒自小而老，老而復小，小而復老者凡五易之，無論「可餐」、「武陵」諸人，如三代法物不可復見；「梯仙」、「吴郡」間有存者，皆爲佝僂老人；而「蘇小小班」亦强半化爲异物矣；「茂苑班」則吾弟先去，而諸人再易其主。余則婆娑一老，以碧眼波斯，尚能别其妍醜。山中人至海上歸，種種海錯皆在其眼，請共舐之。

方物

越中清饞，無過余者，喜啖方物。北京則蘋婆果、黄巤、馬牙松，山東則羊肚菜、秋白梨、文官果、甜子，福建則福橘、福橘餅、牛皮糖、紅腐乳，江西則青根、豐城脯，山西則天花菜，蘇州則帶骨鮑螺、山查丁、山查糕、松子糖、白圓、橄欖脯，嘉興則馬交魚脯、陶莊黄雀，南京則套櫻桃、桃門棗、地栗團、窩笋團、山查糖，杭州則西瓜、鷄豆子、花下藕、韭芽、玄笋、塘栖蜜橘，蕭山則楊梅、蓴菜、鳩鳥、青鯽、方柿，諸暨則香貍、櫻桃、虎栗，嵊則蕨粉、細榧、龍游糖，臨海則枕頭瓜，台州則瓦楞蚶、江瑶柱，浦江則火肉，東陽則南棗，山陰則破塘笋、謝橘、獨山菱、河蟹、三江屯蟶、白蛤、江魚、鰣魚、裏河鰦。遠則歲致之，近則月致之、日致之。耽耽逐逐，日爲口腹謀，罪孽固重。但由今思之，四方兵燹，寸寸割裂，錢塘衣帶水猶不敢輕渡，則向之傳食四方，不可不謂之福德也。

祁止祥癖

人無癖不可與交，以其無深情也；人無疵不可與交，以其無真氣也。余友祁止祥有書畫癖，有蹴鞠癖，有鼓鈸癖，有鬼戲癖，有梨園癖。壬午，至南都，止祥出阿寶示余，余謂：『此西方迦陵鳥，何處得來？』阿寶妖冶如蕊女，而嬌痴無賴，故作澀勒不肯著人，如食橄欖，咽澀無味而韵在回甘；如吃烟酒，鯁餉無奈而軟同沾醉，初如可厭，而過即思之。止祥精音律，咬釘嚼鐵，一字百磨，口口親授，阿寶輩皆能曲通主意。乙酉，南都失守，止祥奔歸，遇土賊，刀劍加頸，性命可傾，至寶是寶。丙戌以監軍駐台州，亂民鹵掠，止祥囊篋都盡，阿寶沿途唱曲以膳主人。及歸剛半月，又挾之遠去。止祥去妻子如脱躧耳，獨以孌童崽子爲性命，其癖如此。

泰安州客店

客店至泰安州，不復敢以客店目之。余進香泰山，未至店里許，見驢馬槽房二三十間；再近有戲子寓二十餘處；再近則密户曲房，皆妓女妖冶其中。余謂是一州之事，不知其爲一店之事也。投店者，先至一廳事，上簿挂號，人納店例銀三錢八分，又人納税山銀一錢八分。店房三等。下客夜素，早亦素，午在山上用素酒果核勞之，謂之『接頂』。夜至店，設席賀。謂燒香後求官得官，求子得子，求利得利，故曰賀也。賀亦三等：上者專席，糖餅、五果、十餚、果核、演戲；次者二人一席，亦糖餅，亦餚核，亦演戲；下者三四人一席，亦糖餅、餚